Les Oursons Berenstain ont une GARDIENNE

Papa et maman sortent ce soir.
Grand-père et grand-mère aussi.
Qui va donc s'occuper
des oursons ?
Pas la première venue,
bien entendu...

PREMIÈRES EXPÉRIENCES

Les Oursons Berenstain ont une GARDIENNE

Stan & Jan Berenstain

Grolier Limitée MONTRÉAL

Dépôt légal, 2e trimestre 1987
Bibliothèque nationale du Québec

ISBN 0-7172-2214-4   1234567890 ML 6543210987

«Qu'est-ce que c'est que ce papier?» dit papa Ours en sortant une enveloppe de la boîte aux lettres.

C'était un avis annonçant qu'une importante réunion aurait lieu le soir même à l'hôtel de ville du Pays des Ours.

Maman Ourse téléphona à Grand-mère Grizzli.

Frérot et Sœurette restaient quelquefois chez leurs grands-parents quand papa et maman devaient sortir.

Quant à la tante Maude . . .

et au cousin Albert . . .
ils se rendaient eux aussi
à la réunion.

«Pourquoi est-ce que nous ne pouvons pas aller avec vous?» demanda Sœurette qui commençait à s'inquiéter.

«Quelle bonne idée», renchérit Frérot.

«Non, non, ce n'est pas possible», répondit papa. «Pour deux raisons. La première est que cette réunion est pour les grandes personnes et la deuxième est qu'elle va se terminer tard.»

«D'accord. Mais alors, qu'est-ce que nous allons faire?» demandèrent les oursons.

«Vous allez rester ici», dit maman en raccrochant le téléphone.

«Tous seuls?» demanda Sœurette.

«Mais non», dit maman. «J'ai engagé une gardienne pour la soirée.»

«Une gardienne!» s'exclama Frérot.

«Comment s'appelle-t-elle?» ajouta Sœurette.

«Madame Roussin. Elle habite dans la souche creuse au bout du chemin», dit maman, soulagée à l'idée que toute l'affaire était réglée.

«Madame Roussin!» dirent les oursons qui, eux, ne se sentaient pas du tout soulagés.

Ils se rappelaient qu'une fois, Sœurette et ses amies avaient lancé leur ballon dans les fleurs de madame Roussin. Madame Roussin n'avait pas du tout été contente ce jour-là.

Un autre jour, le cerf-volant de Frérot avait tout d'un coup perdu de l'altitude et était tombé sur le chapeau de madame Roussin.

Madame Roussin avait été très contrariée!

Ce soir-là, après avoir débarrassé la table et rangé la cuisine, papa et maman se préparèrent pour aller à la réunion.

«Mais qui va nous gratter le dos, nous raconter une histoire et nous border?» demanda Sœurette, qui était encore un peu nerveuse à l'idée d'avoir une gardienne.

«Je crois que madame Roussin a élevé sept oursons», dit maman en mettant son chapeau. «Je suis sûre qu'elle n'a pas son pareil pour gratter le dos, raconter des histoires et border les petits oursons.»

«Pas question qu'elle *me* gratte le dos», marmonna Frérot.

À l'heure dite, madame Roussin tourna dans le chemin qui menait à la maison dans l'arbre.

C'était bien elle, madame Roussin. Celle qui avait reçu le cerf-volant sur son chapeau. Celle qui n'aimait pas qu'on piétine ses fleurs.

Elle était grande et forte (presque autant que papa) et elle tenait une sorte de filet à provisions à la main.

«Bonsoir tout le monde», cria madame Roussin gaiement. «Allez, allez, déguerpissez vite tous les deux», dit-elle à papa et maman. «Vous n'avez pas de temps à perdre.»

Madame Roussin disait les choses plutôt rondement et en général, on lui obéissait sans broncher.

Papa et maman embrassèrent les oursons—et déguerpirent . . .

«Ouf!» soupira madame Roussin en s'asseyant dans le grand fauteuil de papa. «Ça fait drôlement du bien de ne plus être sur ses pieds.» Elle ôta son chapeau et commença à farfouiller dans son filet.

Rien de tel pour attiser la curiosité, que quelqu'un qui farfouille dans un sac.
«Madame Roussin?» dit Sœurette.
«Oui?»
«Qu'est-ce qu'il y a dans votre sac?»

«Pas grand-chose. Quelques babioles que j'emporte toujours avec moi lorsque je garde des oursons. Un bout de ficelle, un jeu de cartes . . .»

Pendant ce temps-là, les ours arrivaient à l'hôtel de ville pour assister à cette importante réunion.

Les ours s'apprêtaient à écouter des discours, voter et discuter quelques nouvelles lois.

Mais maman ne parvenait pas à s'intéresser à tout cela. Papa non plus d'ailleurs. Tous les deux se demandaient ce qui se passait à la maison.

«Sœurette avait l'air un peu inquiète», dit maman qui se tracassait.

«Frérot aussi d'ailleurs», ajouta papa.

Ils décidèrent de téléphoner chez eux pour savoir si tout allait bien.

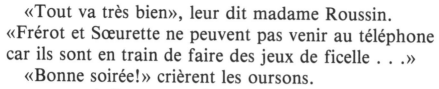

«Tout va très bien», leur dit madame Roussin.
«Frérot et Sœurette ne peuvent pas venir au téléphone
car ils sont en train de faire des jeux de ficelle . . .»

«Bonne soirée!» crièrent les oursons.

«. . . mais ils vous souhaitent une bonne soirée!»

Ils firent ensuite une partie de cartes . . . avec les cartes que madame Roussin avait sorties de son filet.

Puis, ils jouèrent au jeu de puces. Un jeu pas comme les autres. Les jetons étaient des cailloux que madame Roussin avait polis, et le récipient, une coquille d'escargot.

Au bout d'un moment, les oursons commencèrent à bâiller. Madame Roussin les prépara pour la nuit.

Et vraiment madame Roussin
grattait le dos à la perfection.
(Frérot décida d'ailleurs de
se laisser gratter le dos
après tout . . .)

Elle racontait aussi
de très jolies histoires . . .

OURS
DANS
LA
NUIT

et elle bordait les
couvertures à
merveille.

«J'espère que la réunion de papa et maman s'est bien passée», dit Sœurette en bâillant, «parce que nous, nous avons eu une gardienne sensationnelle.»

Les oursons eurent d'autres gardiennes par la suite
mais madame Roussin était celle qu'ils préféraient—
et ils étaient toujours enchantés de la voir.